Superstretch

Superstretch

Jacqueline
Lysycia

Mince, souple et tonique
avec un programme
de 1 heure par semaine

 **Broquet**

97-B, Montée des Bouleaux, Saint-Constant, Qc, Canada, J5A 1A9
Tél. : 450 638-3338   Téléc. : 450 638-4338
www.broquet.qc.ca   Courriel : info@broquet.qc.ca

Catalogage avant publication de Bibliothèque et Archives
nationales du Québec et Bibliothèque et Archives Canada

Lysycia, Jacqueline

Superstretch

Traduction de: Superstretch.
Comprend un index.

ISBN 978-2-89654-035-8

1. Stretching. I.Titre.

RA781.63.L9714 2009   613.7'182   C2008-941824-7

**Pour l'aide à la réalisation de son programme éditorial,
l'éditeur remercie:** le Gouvernement du Canada par l'entre-
mise du Programme d'aide au développement de l'industrie
de l'édition (PADIÉ); la Société de développement des entre-
prises culturelles (SODEC); l'Association pour l'exportation
du Livre Canadien (AELC); le Gouvernement du Québec
– Programme de crédit d'impôt pour l'édition de livres –
Gestion SODEC.

Titre original de cet ouvrage : *Superstretch*
Pour l'édition originale
© 2008, Octopus Publishing Group Ltd

Pour la version française au Canada
Copyright © Ottawa 2008 Broquet Inc.
Dépôt légal – Bibliothèque et Archives nationales du Québec
1er trimestre 2009

Imprimé en Chine

ISBN 978-2-89654-035-8

Avertissement
Il est recommandé de consulter un médecin avant d'entreprendre une activité physique afin de bénéficier de l'avis
d'un spécialiste.

Les conseils fournis dans cet ouvrage étant précis et les instructions progressives, ni l'auteur ni l'éditeur ne sont tenus
pour légalement responsables de toute blessure survenue
pendant la pratique des exercices.

SOMMAIRE

INTRODUCTION

Le stretching permet d'acquérir facilement une bonne condition physique. Cet ouvrage s'adresse aussi bien aux personnes qui débutent qu'à celles qui souhaitent perfectionner leur technique.

Les exercices présentés, répartis en sept chapitres, ont été choisis parce qu'ils offrent une efficacité maximale en un minimum de temps, soit une heure de pratique par semaine. En vous exerçant 8 à 10 minutes par jour, vous serez surprise de découvrir à quel point vous êtes en forme, combien votre corps se raffermit et votre souplesse s'accroît. En effet, le stretching renforce les muscles et améliore l'état des tissus conjonctifs, car il favorise la circulation des fluides vitaux.

En consacrant chaque jour un peu de temps aux exercices, vous en ressentirez rapidement tout le bénéfice. Les étirements présentés ne sont pas simplement destinés à faire travailler un ou deux muscles. Ils stimulent des groupes de muscles favorables à une bonne posture du corps tout en assouplissant d'autres ensembles de muscles. Ils vous donneront une silhouette plus mince et plus tonique.

Les bienfaits du stretching sont nombreux ; pratiquez-le régulièrement pour rester en forme.

Pourquoi faire du STRETCHING ?

S'étirer régulièrement permet de tonifier les muscles et d'entretenir les articulations, de réduire les tensions musculaires et de garder une colonne vertébrale en bon état.

LE STRETCHING :

- Entretient la souplesse et la mobilité du corps, en le rendant plus tonique.
- Allonge et renforce les muscles, améliore la posture, amincit et tonifie la silhouette.
- Soulage et prévient de nombreux maux courants du dos et de la nuque.
- Prévient les blessures, la douleur et les tensions après l'effort, et échauffe les muscles.
- Améliore la mobilité articulaire et réaligne les articulations, en assurant ainsi leur bon fonctionnement.
- Améliore la tonicité, la texture et la souplesse de la peau.
- Stimule la circulation sanguine, ce qui permet de se sentir plus jeune et plus en forme.
- Améliore la coordination et l'équilibre en favorisant la mobilité.
- Réduit les tensions physiques liées au travail et permet de se décontracter.
- Accroît l'effet des activités physiques destinées à la perte de poids, en atténuant les douleurs consécutives aux exercices et en favorisant le développement musculaire.

LE STRETCHING ME CONVIENT-IL ?

Le stretching permet de retrouver certaines de nos facultés, non d'en développer de nouvelles. À la naissance, nous sommes doués d'une grande agilité, mais avec le temps nous devenons généralement moins actifs et donc moins souples. Le fait de rester longtemps assis, de porter un sac sur l'épaule ou de se blesser, par exemple, peuvent provoquer l'affaiblissement de certains muscles ou l'apparition de contractures. Nous préférons souvent ignorer la douleur tant qu'elle est supportable, et nos maux finissent par s'accentuer.

Indépendamment de l'âge, de la souplesse ou de la condition physique, le stretching peut être pratiqué par tous. Il sera très bénéfique à toutes celles qui sont tendues ou souffrent de problèmes articulaires ou musculaires.

UNE NOUVELLE JEUNESSE

Les étirements ont un effet rajeunissant. Avec l'âge, l'élasticité des muscles, du tissu conjonctif, des tendons, des ligaments et de la peau tend à diminuer. On finit même par rapetisser. Le stretching entretient la jeunesse du corps. Il améliore la circulation du liquide synovial dans les cavités articulaires ainsi que la circulation sanguine, ce qui permet de rester souple et endurant. Il a aussi des effets bénéfiques sur le visage et la peau. Enfin, il favorise une bonne posture : vous parviendrez donc à vous mouvoir et à respirer plus facilement, et serez plus dynamique.

les BIENFAITS
des ÉTIREMENTS

Les techniques d'étirement permettent d'améliorer

les performances sportives, de prévenir certaines blessures,

d'améliorer la posture et de soulager certaines douleurs.

Le stretching entretient la souplesse des muscles et prépare en douceur à l'activité physique. Il est très important de s'étirer avant, et particulièrement après l'effort, afin d'éviter les blessures. Durant l'effort, quand les muscles sont échauffés, les étirements améliorent la mobilité. Après l'effort, ils soulagent les raideurs et les tensions musculaires, qui peuvent causer une perte de mobilité.

AMÉLIORER LA POSTURE
L'âge, la gravité terrestre, l'immobilité et l'exécution répétée de tâches comme la conduite d'un véhicule peuvent entraîner un déséquilibre musculaire. Dans ce cas, une mauvaise posture s'installe. Par exemple, si les muscles de vos épaules sont contractés, vous vous tiendrez peut-être voûtée. Une faiblesse des muscles abdominaux peut provoquer des douleurs dans le bas du dos, car les muscles de cette zone sont alors davantage sollicités pour compenser. Le stretching renforce les muscles d'une manière équilibrée, agissant sur le corps de façon symétrique.

LA PERCEPTION DU SCHÉMA CORPOREL
La pratique des étirements aide à prendre conscience de son corps et à mieux percevoir ses points forts et ses points faibles, ainsi que ses zones de tension. Si certains exercices vous semblent difficiles à exécuter ou un peu inconfortables, ils correspondent sans doute à cer-

taines de vos tensions et vous apporteront un réel soulagement. D'autres vous paraîtront agréables et votre corps libérera des endorphines, sources de bien-être.

Votre rythme respiratoire se modifiera selon les étirements. Surveillez-le, afin de mieux percevoir vos tensions. Si votre respiration s'accélère sans ralentir au cours du mouvement, l'étirement est peut-être trop difficile pour vous pour le moment. Restez à l'écoute de votre corps ; il vous indiquera la marche à suivre.

Le stretching est une activité paisible, relaxante, que l'on pratique pour soi. Les exercices de cet ouvrage, que vous pouvez adapter, vous permettront de vous sentir en pleine forme grâce à leurs effets bénéfiques sur les plans psychique et musculaire. Vous ressentirez mieux les besoins de votre corps. En outre, vous prendrez définitivement goût au stretching et à l'activité physique.

Précautions
- Durant les étirements, il ne faut ressentir ni inconfort ni douleur. Des tremblements indiquent que l'étirement a été exagéré.
- Si vous êtes malade, ou en cas de problème particulier, consultez un médecin avant d'exécuter les étirements.

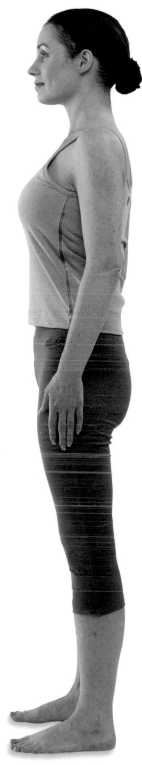

Excellente posture

Mauvaise posture

UNE SOURCE D'ÉPANOUISSEMENT

Le stretching favorise la libération d'hormones telles que la sérotonine. Celle-ci est sécrétée par le cerveau et agit en divers points de l'organisme, notamment sur les organes et les muscles, en apportant une sensation de bien-être moral et physique. Dotée d'une action apaisante, elle stabilise le rythme cardiaque et la pression sanguine. La pratique du stretching lorsque l'on travaille permet donc de se décontracter et de régénérer le corps et l'esprit.

L'étirement de certaines parties du corps déclenche en outre la sécrétion d'hormones de bien-être. Un travail sur la colonne vertébrale provoque, par exemple, l'afflux de fluide cérébro-spinal. Un mode de vie actif favorise la circulation des fluides corporels, mais, dans un mode de vie plus sédentaire, le stretching aide à réguler les fonctions de l'organisme.

Les étirements ont également un effet positif sur le système nerveux, car ils soulagent les tensions musculaires et articulaires chroniques. Ces dernières, si elles sont négligées durant de longues périodes, peuvent être à l'origine d'un vieillissement prématuré ou de lourdeurs physiques. En revanche, la détente que procurent les exercices de stretching stimule le renouvellement cellulaire. Cette pratique permet donc de préserver sa jeunesse.

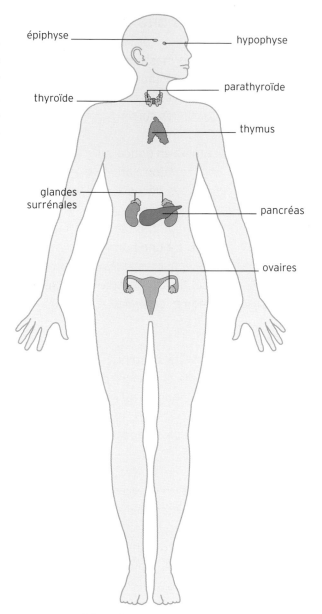

épiphyse — hypophyse

thyroïde — parathyroïde

thymus

glandes surrénales — pancréas

ovaires

Glandes hormonales

UN MASSAGE DES ORGANES INTERNES

Flexions, rotations et étirements du corps agissent comme des massages internes, notamment sur les organes vitaux et les glandes de la région du torse (le foie, les reins, les intestins, le pancréas et les glandes surrénales).

Le stretching stimule en douceur les organes en améliorant leur irrigation sanguine – facilitant ainsi l'élimination des déchets et des toxines – et leur apport en nutriments. Les rotations du bassin entraînent un massage des intestins, également favorable à une bonne irrigation et à un bon transit. Le pancréas joue le rôle de régulateur de la glycémie. Un étirement qui permet de masser la région pancréatique a donc un effet positif sur l'humeur.

Durant une séance de stretching, la respiration se fait plus profonde et devient plus paisible, ce qui est bénéfique pour le fonctionnement des organes ; l'élimination des toxines à chaque expiration est alors plus importante.

Le chapitre « Étirements thérapeutiques doux » (page 110) décrit des mouvements conçus spécifiquement pour masser les organes, et étirer les muscles et le tissu conjonctif. Ces étirements qui stimulent l'organisme sont utiles en cas de fatigue ou de malaises légers. Parce qu'ils sont doux, ils s'avèrent idéaux pour les personnes fatiguées. Toutefois, la plupart des étirements présentés dans ce livre présentent aussi un intérêt sur le plan organique.

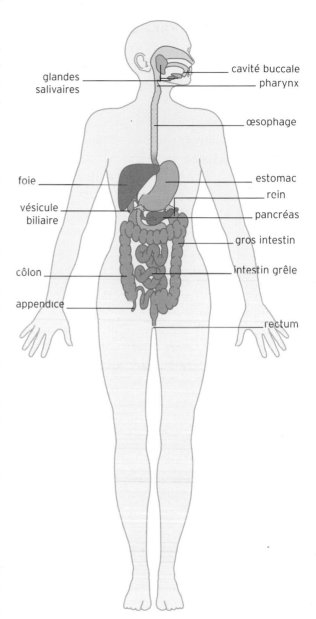

Principaux organes internes

l'EFFET des ÉTIREMENTS sur le corps

Les étirements proposés dans ce livre ciblent les zones spécifiques qui en ont le plus besoin, comme la colonne vertébrale et le dos, la nuque, les épaules, les hanches et les jambes.

Le stretching mobilise les muscles, y compris ceux qui entourent les articulations, ainsi que les tissus conjonctifs, comme les ligaments et les tendons. Les tissus conjonctifs ont pour fonction de rattacher entre eux les organes, les os ou les muscles. Ils ont aussi un rôle nutritionnel et énergétique.

En vous étirant, vous sentirez vos muscles et vos tissus s'assouplir. Cette action favorise leur irrigation et accroît leur apport en nutriments, ce qui entretient leur élasticité, leur souplesse et leur résistance.

ÉTIREMENT DES ARTICULATIONS

Les épaules, la nuque, les genoux et les hanches comportent des articulations. Sur ces zones, qui peuvent être douloureuses ou tendues, le stretching aura un effet bénéfique. Les articulations se composent de tissus conjonctifs qui, à la longue, sont parfois moins bien irrigués par le liquide synovial, et donc moins élastiques. Le stretching en soulagera les raideurs.

Les étirements préviennent les blessures, en assouplissant vos articulations, et permettent d'augmenter l'amplitude articulaire. Ce résultat est obtenu dès trois semaines de pratique des exercices de ce programme. Au bout de cinq semaines, vous serez plus svelte, plus souple et plus décontractée, mais aussi plus énergique, car vous déplacer vous demandera moins d'efforts.

ÉTIREMENT DES MUSCLES

Chaque muscle possède une amplitude d'étirement différente. En vous étirant, repérez les zones contractées et travaillez sur celles-ci, en veillant à ne pas ressentir de douleur. Procédez toujours en douceur, suivez chaque étape soigneusement et prenez votre temps. Surveillez vos sensations : sont-elles agréables ? Détendez-vous et contentez-vous de vous concentrer sur le muscle étiré. Ce livre inclut des étirements faciles, moyennement faciles et d'un niveau avancé. Commencez par les premiers. En l'espace de cinq minutes, vous en mesurerez déjà les effets.

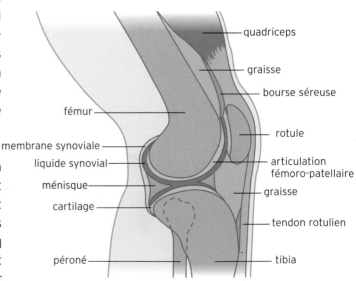

Muscles, articulations et ligaments

Étirement facile

Étirement moyennement facile

Étirement avancé

L'ÉTIREMENT FACILE

Cet étirement procure une légère sensation d'allongement. Il ne développe pas la souplesse, mais il est agréable et permet de se détendre tout en favorisant le relâchement musculaire. Au fur et à mesure de votre pratique, vous prendrez conscience de ce relâchement. Vous pourrez alors vous décontracter et laisser s'étirer votre muscle.

L'ÉTIREMENT MOYENNEMENT FACILE

Il semble légèrement inconfortable, mais n'est pas douloureux. Un étirement moyennement facile permet d'allonger doucement le muscle.

L'ÉTIREMENT AVANCÉ

Il est difficile, parfois inconfortable, mais indolore. Il permet de bien étirer le muscle. Entre l'inconfort et la douleur, il existe une frontière que vous apprendrez à ne pas franchir.

le MOMENT propice

Les étirements peuvent être pratiqués à n'importe quel moment de la journée. Chez vous, au travail ou après le sport, vous pouvez y consacrer 5 minutes ou une heure. Si vous êtes contractée, une séance de stretching de quelques minutes vous sera bénéfique. Pendant votre journée de travail, étirez-vous de temps à autre pour dissiper vos tensions ou retrouver votre énergie.

TROUVER DU TEMPS POUR SOI

Le programme de stretching de cet ouvrage tient compte du fait que la société moderne laisse peu de temps libre. Les étirements proposés ici en un minimum de temps sont les plus efficaces possibles. Ils ne nécessitent aucun équipement spécialisé et peuvent être réalisés sans aucune difficulté chez soi, sur son lieu de travail ou en salle de gymnastique, chaque fois que vous êtes tendue ou que vos muscles sont fatigués. Il suffit d'y consacrer 10 minutes par jour, plusieurs jours par semaine, afin d'en constater les effets.

Selon les spécialistes, pratiquer deux séances de stretching par jour offre le maximum d'efficacité. Le planning idéal est de pouvoir y consacrer du temps le matin mais aussi le soir, à raison de 5 minutes par séance. Pratiquer ne serait-ce que deux ou trois étirements par séance est déjà un bon début.

Si une zone de votre corps est particulièrement tendue, consacrez davantage de temps à vos exercices sur cette zone. Si vous ressentez une crampe à l'aine et que votre kinésithérapeute vous a conseillé de vous étirer, pratiquez les exercices du chapitre « Étirement des hanches, des jambes et du dos », chaque jour.

DE BONNES HABITUDES

Si vous pouvez consacrer davantage de temps au stretching, chaque jour, choisissez un moment où vous êtes en forme et détendue. Le matin, au réveil, n'est pas forcément l'instant idéal car votre corps sort d'une nuit de repos. Mais si c'est la seule occasion pour vous de pratiquer, procédez en douceur et adoptez les positions sans forcer. Recherchez parmi les nombreux exercices proposés ceux qui sont le plus adaptés pour le matin et qui stimulent la circulation sanguine.

En revanche, l'après-midi ou le soir, le corps, en activité depuis le matin, est davantage préparé à l'exercice. Le moment est donc propice à la pratique des étirements. Il est également idéal pour aborder des mouvements plus complexes.

CONSEIL

Essayez de vous exercer tous les jours. Même 5 à 10 minutes vous seront bénéfiques. Les bienfaits sont accrus au-delà de 10 minutes. Progressivement, vous aurez envie de prolonger vos séances, mais aussi de conserver les positions durant un certain temps.

la BONNE méthode

Chaque mouvement présenté fait l'objet d'une description claire. Une photographie en illustre chaque étape. Voici quelques conseils pour profiter au mieux de votre séance.

UNE RESPIRATION ADÉQUATE

Le yoga et les pilates exigent une méthode de respiration particulière. Dans la pratique du stretching, en revanche, la respiration doit être aisée et naturelle.

Ne tentez pas de contrôler votre respiration ; inspirez et expirez comme d'habitude. Inspirez par le nez, afin de bien vous oxygéner. En expirant, vous éliminerez des toxines.

La description des exercices indique la phase du mouvement au cours de laquelle il faut inspirer et expirer. En général, il faut inspirer en faisant une pause dans l'étirement, puis, en expirant, continuer d'étirer le muscle. En tentant de vous étirer davantage durant l'inspiration, vous éprouverez peut-être une sensation d'inconfort ; en expirant, ce sera plus facile. Achevez toujours l'étirement durant l'expiration. Votre respiration sera plus naturelle et le mouvement vous semblera plus facile.

En pratiquant les « Étirements stimulants », votre respiration s'accélérera peut-être légèrement. Cela indiquera que votre corps travaille et s'échauffe.

Cycles respiratoires

L'inspiration et l'expiration forment un « cycle respiratoire ». Les temps de pause consécutifs à l'inspiration et à l'expiration font aussi partie de ce cycle. Chaque étirement doit être effectué durant un certain nombre de cycles respi-ratoires, mais vous pouvez le prolonger ou le raccourcir, si besoin. Vous seule savez ce que vous ressentez : procédez en douceur et avec honnêteté.

Un bon positionnement du bassin

Le sacrum est situé à la base de la colonne vertébrale, entre les deux os iliaques. Votre bassin sera bien placé si vous le basculez vers l'avant. Évitez de vous cambrer ou de contracter vos muscles fessiers et contractez votre plancher pelvien.

Une respiration profonde

Lorsque vous inspirez profondément, en remplissant vos poumons, votre poitrine se soulève et votre abdomen s'allonge. En expirant, essayez de ne pas relâcher l'abdomen. Toutefois, ne contractez pas les muscles abdominaux : votre respiration deviendrait superficielle, ce qui créerait des tensions physiques.

Une bonne posture

En inspirant, lorsque votre cage thoracique se soulève, gardez la sensation d'une poitrine gonflée et d'un ventre plat. Ainsi, vous conserverez une bonne posture durant les étirements, ce qui est très important.

De plus, une posture correcte renforce la colonne vertébrale et les muscles abdominaux. Une région abdominale musclée est indispensable à la bonne santé de la colonne vertébrale, qui soutient votre corps tout au long de votre vie.

démarrer le PROGRAMME

Il est inutile de posséder un équipement ou des vêtements spécifiques.

Le stretching peut être pratiqué partout, y compris devant un bureau,

dans le jardin ou dans un club de gymnastique.

Tenez compte des conseils suivants pour optimiser votre pratique :

- Trouvez un endroit spacieux pour pouvoir vous asseoir, vous allonger et étendre les bras.
- Choisissez un sol non glissant ; utilisez un tapis si nécessaire.
- Retirez vos chaussures et vos chaussettes. Exercez-vous pieds nus.
- Pour aborder les étirements les plus complexes, choisissez une tenue ample.
- Une serviette roulée ou un coussin peuvent faciliter certains mouvements.
- Éteignez votre téléphone et écoutez votre corps.

Commencez systématiquement par les étirements d'échauffement, décrits pages 22 à 35. En effet, il faut toujours préparer correctement le corps à l'effort. Ces étirements activent la circulation sanguine et soulagent les articulations, ce qui rend la séance plus efficace.

Si vous disposez d'assez de temps, abordez le chapitre suivant : « Étirements stimulants ». Lorsque vous aurez progressé, ceux-ci pourront aussi être pratiqués pour vous échauffer. Il suffit de les suivre étape par étape et d'être attentif à votre corps. Effectuez ensuite les exercices d'un ou deux autres chapitres, selon vos besoins. Vous pouvez aussi choisir deux ou trois exercices de chaque chapitre : vous étirerez ainsi l'ensemble de votre corps. Certains mouve-

ments permettent de récupérer à la fin d'une séance. Ne les négligez pas.

La méthode présentée ici est simple, mais il est important de bien vous conformer aux instructions relatives aux exercices. Procédez en douceur, sans forcer, pour ne pas vous blesser.

NOTRE PROGRAMME

Les exercices de ce livre ont été répartis en sept séquences incluant des échauffements et s'adressant à des zones corporelles spécifiques :

- étirements d'échauffement ;
- étirements stimulants ;
- étirements de la colonne vertébrale ;
- étirements des hanches et des jambes ;
- étirement des hanches, des jambes et du dos ;
- étirements du haut du corps ;
- étirements thérapeutiques doux.

Si vous êtes en forme, échauffez-vous puis exécutez des étirements stimulants avant de travailler une partie du corps plus précise, ou différentes parties du corps, successivement. Variez votre programme et consacrez-y au moins 10 minutes par jour.

Si vous êtes fatiguée ou en convalescence, pratiquez des étirements d'échauffement puis des étirements thérapeutiques doux, décrits pages 112 à 123. Ceux-ci dispensent un massage des organes internes et assouplissent les tissus conjonctifs, ce qui vous revitalisera.

CONSEIL

Si vous êtes pressée, exécutez les étirements d'échauffement, puis un ou deux étirements d'un autre chapitre, en fonction de la zone de votre corps qui est tendue.

ÉTIREMENTS D'ÉCHAUFFEMENT

Les étirements de ce chapitre échaufferont vos articulations et vos muscles en peu de temps. Ils vous mettront en forme et vous prépareront aux exercices.

Consacrez-y simplement quelques minutes. Il est important d'enchaîner les mouvements et d'inspirer profondément pour faciliter l'échauffement et favoriser la circulation des fluides corporels (voir page 12). Prenez votre temps et ne procédez pas par à-coups pour éviter de vous blesser.

Durant les étirements, il est important de se détendre et de se laisser aller afin de relâcher les tensions. Même si nous n'en sommes pas conscients, certaines zones de notre corps sont constamment tendues. Pour fonctionner correctement, nos muscles doivent en effet toujours être en état de tension. Toutefois, lorsque nous sommes stressés, en colère ou fatigués, le corps peut emmagasiner de profondes contractions. Lorsque vous saurez comment vous détendre, vous prendrez conscience d'un relâchement musculaire au moment de chaque étirement.

CE CHAPITRE COMPREND 14 ÉTIREMENTS D'ÉCHAUFFEMENT :

- Étirement latéral debout (voir page 22)
- Étirement du bras (voir page 23)
- Fente avec rotation (voir page 24)
- Flexion et extension (voir page 25)
- Étirement de la cuisse (voir page 26)
- Flexion debout (voir page 27)
- Bascule de la jambe (voir page 28)
- Lever de genou (voir page 29)
- Étirement de la nuque (voir page 30)
- Rotation en écart facial (voir page 31)
- Rotation du bassin (voir page 32)
- Enroulement vertébral (voir page 33)
- Étirement à genoux (voir page 34)
- Le pentacle (voir page 35)

ÉTIREMENT latéral debout

Ce mouvement étire la colonne vertébrale, assouplit les hanches et détend les épaules. Il agit également sur la bande ilio-tibiale, située sur le côté de la hanche et de la cuisse, afin d'en accroître la souplesse.

POSITION DU BASSIN

Avant de vous pencher, contractez le muscle transverse de votre abdomen en prenant soin de ne pas vous cambrer et de ne pas contracter les fessiers. Vous conserverez ainsi un bon alignement du bassin.

1 Posez votre main gauche sur votre hanche gauche. Croisez votre pied droit au-dessus de votre pied gauche. Expirez et penchez-vous du côté gauche. Conservez la position durant 4 à 5 cycles respiratoires. Répétez le mouvement de l'autre côté. Pratiquez l'exercice 10 fois.

étirer

ÉTIREMENT du bras

Voici un exercice d'étirement qui dissipera les douleurs des épaules et de la nuque qui apparaissent après avoir travaillé sur votre ordinateur ou effectué des tâches avec les bras constamment levés.

EXPIRER

Lorsque vous inspirez, la partie supérieure de votre buste s'étire vers le haut et votre abdomen s'étire. En expirant, essayez de rentrer le ventre pour conserver cette sensation.

1 Tenez-vous debout, pieds écartés, alignés sur les hanches. Inspirez et étirez vos bras. Gardez le dos droit en expirant et rentrez le ventre. Vos genoux doivent être légèrement fléchis et vos coudes relâchés. Croisez vos poignets au-dessus de la tête.

2 Inspirez, puis, en expirant, abaissez vos bras en les étirant vers l'arrière. Répétez 15 fois ce mouvement. Gardez le dos droit. Respirez à fond. Inspirez profondément et expirez lentement, afin que l'expiration dure plus longtemps.

FENTE avec ROTATION

Cet étirement assouplit les hanches et le psoas, muscle allant des vertèbres lombaires au fémur, cause de douleurs éventuelles dans le bas du dos.

CONSEIL

La jambe qui se trouve en avant doit former un angle à 90 º tout au long de l'exercice.

1 Écartez légèrement les pieds et posez les mains sur vos hanches. Inspirez et avancez votre jambe gauche. Expirez et tendez la jambe arrière, puis amenez le genou droit vers le sol. Inspirez et expirez en gardant le dos bien droit, et regardez devant vous.

étirer

2 Inspirez et tendez le bras droit vers l'avant et le bras gauche vers l'arrière en gardant l'équilibre. Les bras parallèles, expirez et tournez vers la gauche en faisant suivre votre tête. **Restez ainsi 5 à 10 cycles respiratoires. Répétez 3 à 5 fois,** puis recommencez de l'autre côté.

étirer

FLEXION et EXTENSION

Voici un bon étirement pour dissiper les tensions du bas et du haut du dos. Il agit sur les muscles postérieurs des jambes. Si vous pratiquez un sport ou portez des chaussures à talons, cette technique décontractera vos jambes et votre dos.

PRÉCAUTION

Si vous avez des problèmes de dos ou si celui-ci n'est pas assez musclé, gardez les genoux légèrement fléchis durant la seconde position.

étirer

1 Tenez-vous pieds joints et inspirez profondément. En expirant, contractez vos muscles abdominaux et penchez-vous en avant comme indiqué. Essayez de poser vos mains à plat sur le sol ; pour cela, fléchissez suffisamment les genoux.

2 Inspirez et tendez les jambes en prenant appui sur le bout des doigts, afin d'étirer votre colonne vertébrale. Expirez en pliant les genoux et posez à nouveau vos paumes à plat sur le sol. **Répétez l'exercice 10 fois,** en accroissant à chaque fois l'amplitude de vos mouvements et en respirant bien.

ÉTIREMENT de la CUISSE

Les hanches peuvent accumuler beaucoup de tensions, entraînant des douleurs dorsales et une raideur généralisée. Ce mouvement accroît leur souplesse et permet de vous libérer de vos tensions.

ASTUCE

Appuyez-vous contre un mur ou sur le dos d'une chaise pour éviter de perdre l'équilibre.

1 Tenez-vous debout, pieds écartés, vos mains posées sur les hanches. Inspirez profondément de façon à sentir votre poitrine se soulever. Expirez en écartant latéralement la jambe, genou plié ; veillez à garder le dos bien droit.

2 Inspirez profondément, puis, en expirant, ramenez la jambe vers l'intérieur en gardant le genou plié. Pratiquez le mouvement en douceur, en continuant d'inspirer et d'expirer. **Répétez l'exercice 5 fois,** puis recommencez avec l'autre jambe.

FLEXION debout

Cet étirement réaligne la colonne vertébrale et étire les muscles postérieurs des cuisses (en agissant sur les tendons postérieurs du genou). Il peut être effectué à tout moment de la journée et permet de soulager les compressions intervertébrales.

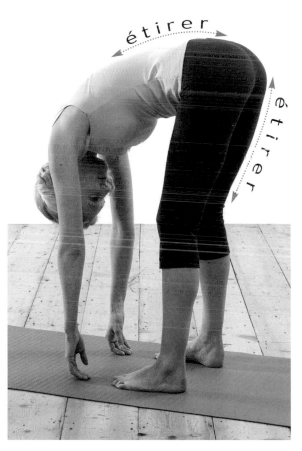

1 Debout, pieds écartés, genoux légèrement fléchis et bras le long du corps, inspirez profondément. Et, en expirant, penchez-vous doucement vers l'avant, en déroulant vos vertèbres une à une. Arrêtez-vous lorsque vous avez fini d'expirer.

2 Inspirez à nouveau, puis continuez de vous pencher jusqu'au maximum tout en expirant. Contractez les abdominaux. **Gardez la position durant quelques cycles respiratoires.** Inspirez et expirez en reprenant lentement votre position initiale.

BASCULE de la JAMBE

Cet étirement assouplit les hanches en améliorant leur mobilité, stimule la circulation et renforce les cuisses. Il échauffe et décontracte les muscles des jambes, réduit leur gonflement en cas de station debout prolongée, et apporte un meilleur équilibre.

VARIANTE

Une fois familiarisé avec cet étirement, n'utilisez plus de support. Posez les deux mains sur vos hanches.

1 Appuyez la main droite sur une chaise ou contre un mur et posez l'autre main sur votre hanche. Gardez le dos bien droit. Inspirez, puis en expirant, tendez lentement la jambe gauche vers l'avant pour assouplir votre hanche.

2 Inspirez et, en expirant, basculez en douceur la jambe gauche vers l'arrière. **Répétez l'exercice 15 fois,** en accélérant le rythme. Relevez doucement les orteils en basculant la jambe, qui est entraînée par le pied. Procédez de même avec l'autre jambe.

LEVER de GENOU

Cet étirement soulage les tensions des hanches et des jambes, et stimule la circulation autour de la colonne vertébrale et du bassin. Il étire bien la colonne et améliore posture et équilibre.

VARIANTE

En expirant, levez votre genou en direction de l'épaule opposée. Inspirez, puis, en expirant, penchez la tête pour intensifier l'étirement.

1 Placez-vous en équilibre sur la jambe droite. Inspirez profondément et amenez votre genou gauche contre votre poitrine avec vos mains. Expirez et rentrez le ventre afin de soutenir votre colonne vertébrale.

2 Rapprochez davantage le genou de votre poitrine en basculant le bassin et la tête vers l'avant. **Gardez cette position durant 3 cycles respiratoires. Répétez l'étirement 10 fois,** puis changez de jambe.

ÉTIREMENT de la NUQUE

Il est fréquent de ressentir des tensions dans la nuque et les épaules.
Cet étirement agit sur les trapèzes, muscles situés à l'arrière du cou et
le long des épaules, qui permettent de lever les épaules, pencher
la tête et lever le menton.

1 Posez la main gauche sur l'épaule gauche, et la main droite sur la tête, au-dessus de l'oreille gauche. Inspirez. Puis, en expirant, entraînez la tête en douceur vers l'épaule droite, avec le poids de votre bras. Conservez cette position.

2 Inspirez lentement et en expirant, tournez le menton vers l'épaule gauche en le relevant. **Restez ainsi 3 cycles respiratoires**, puis étirez l'autre côté de la nuque. **Recommencez jusqu'à obtenir une sensation de bien-être.**

ROTATION en ÉCART facial

Voici un étirement efficace qui agit sur la colonne vertébrale par le biais d'un mouvement de rotation. Il soulage les ankyloses résultant d'une station assise prolongée.

1 Asseyez-vous, jambes écartées et tendues, orteils relevés et dos bien droit. Contractez les abdominaux. Inspirez, puis expirez en tendant les bras avec les épaules décontractées.

2 Inspirez et effectuez une rotation vers la droite, en étirant bien la colonne vertébrale

3 En expirant, tendez votre bras gauche vers votre pied droit et votre bras droit vers l'arrière. Essayez de toucher vos orteils. Reprenez la position initiale et inspirez. Expirez et tournez-vous de l'autre coté. **Répétez 10 fois cet étirement en enchaînant.**

ROTATION du BASSIN

Cet étirement agit sur le sacrum et dissipe les tensions des hanches, qui sont à l'origine de douleurs dorsales. Il assouplit en outre les articulations des hanches, qui peuvent devenir raides en raison d'un mode de vie sédentaire.

1 Allongez-vous sur le dos, les genoux pliés et les pieds légèrement écartés, posés à plat sur le sol. Allongez vos bras sur le côté, les paumes tournées vers le plafond.

2 Inspirez. En expirant, tournez les genoux et les hanches vers la gauche, les bras et la tête vers la droite. **Restez ainsi 3 à 5 cycles respiratoires,** puis changez de côté.

POSITION DES BRAS

Si vous préférez, étirez vos bras au-dessus de la tête et bougez uniquement les genoux.

ENROULEMENT vertébral

Ce mouvement assouplit les hanches et la colonne vertébrale, ainsi que les muscles qui les relient. Ceux-ci peuvent en effet être l'objet de fortes tensions. Il est donc important de pratiquer régulièrement cet étirement.

1 Allongez-vous sur le dos, genoux pliés. Maintenez votre cuisse droite. Inspirez, levez la cheville gauche et posez-la sur votre genou droit. Votre jambe gauche doit former un angle à 90°, la hanche est ainsi bien étirée. Expirez et rentrez le ventre.

2 Inspirez et décollez les épaules du sol. Expirez puis reposez la tête sur le sol. **Répétez l'exercice 10 fois,** puis changez de côté. Essayez d'augmenter l'amplitude de l'étirement à chaque cycle respiratoire.

ÉTIREMENT à genoux

Cet étirement peut être utilisé pour se relaxer.
Concentrez-vous sur vos sensations ; plus vous pratiquerez
cette position, plus vous sentirez les changements
qui affectent votre corps durant l'étirement.

POSITION DU BASSIN

Adoptez une posture confortable : ne basculez pas le bassin vers l'avant ou l'arrière ; le bas du dos doit rester droit.

1 Placez une serviette sous vos fesses
et agenouillez-vous confortablement.
Posez le dos de vos mains sur vos
cuisses. Prenez conscience de votre
respiration : votre cage thoracique se
soulève lorsque vous inspirez et votre
abdomen s'étire et se creuse lorsque
vous expirez. **Conservez cette position
durant 1 à 5 minutes.**

le PENTACLE

Ce mouvement de relaxation est idéal à la fin d'une séance d'étirement. Il permet de laisser le corps se décontracter, en s'habituant à cette sensation. L'impression de relâchement doit partir de l'intérieur.

CONSEIL

Essayez de ressentir le déplacement du *chi* dans les zones du corps étirées. Le *chi* est l'énergie vitale qui circule dans l'organisme. Il agit aussi bien sur le moral que sur le fonctionnement des organes et des glandes.

1 Allongez-vous par terre, les bras et les jambes écartés. Le bas de votre colonne vertébrale doit reposer sur le sol ; si ce n'est pas le cas, pliez les genoux et posez vos pieds à plat. Fermez les yeux et détendez-vous. **Restez ainsi 1 à 5 minutes.**

VARIANTE

Si la position est inconfortable pour votre dos, placez une serviette roulée derrière vos genoux, afin de soulager vos lombaires.

ÉTIREMENTS STIMULANTS

Les étirements proposés dans ce chapitre sont stimulants et dynamisants. Ils sont destinés à être accomplis sous la forme d'une séquence complète de remise en forme et de préparation physique. Ils seront de préférence exécutés après les étirements d'échauffement (voir pages 22 à 35).

Les étirements stimulants sollicitent des groupes de muscles importants et peuvent paraître plus difficiles que d'autres. Toutefois, ils améliorent la circulation et la mobilité articulaire. Ils peuvent être enchaînés, mais vous devrez peut-être vous entraîner à les exécuter individuellement avant d'entreprendre la séquence entière. Concentrez-vous sur vos muscles et exercez-vous sans précipitation.

Ces étirements sont idéaux si vous souhaitez vous sentir plus énergique le matin, ou à tout autre moment de la journée. Pratiquez-les lorsque vous souhaitez vous sentir plus en forme, physiquement et psychiquement.

CE CHAPITRE COMPREND 13 ÉTIREMENTS STIMULANTS :

FENTE du DRAGON

Cet étirement agit sur les adducteurs, les chevilles et les fléchisseurs de la hanche. Il prépare aux exercices de flexion du dos du chapitre suivant.

1 Tenez-vous debout, pieds écartés, alignés sur la largeur des hanches. Avancez votre pied gauche et baissez-vous en amenant votre genou droit au sol. Appuyez légèrement vos mains sur votre genou gauche, en posant la main droite sur la main gauche. Vous conserverez ainsi votre équilibre.

2 Inspirez en soulevant votre poitrine, penchez le buste en l'amenant à la hauteur de votre genou gauche et appuyez vos avant-bras sur le sol. **Gardez la position durant 1 à 2 minutes.** Remettez-vous debout puis répétez l'étirement de l'autre côté.

FENTE du dragon avancée

Cette version de la fente du dragon permet d'assouplir davantage les hanches grâce à une rotation du tronc.

1 Tenez-vous debout et avancez le pied gauche. Posez votre genou droit sur le sol, derrière vous.
Placez la main gauche sur votre genou gauche et faites glisser la main droite sur l'arrière de votre cuisse droite sans vous pencher sur la jambe gauche.

2 Inspirez profondément en gardant le dos bien droit. En expirant, reculez votre genou droit. Inspirez, puis, en expirant, effectuez une légère rotation du tronc vers la droite. **Gardez la position durant 1 à 2 minutes.** Remettez-vous debout puis répétez l'étirement de l'autre côté.

ÉLÉVATION du DOS

Cet étirement est idéal pour les personnes anxieuses, tendues ou déprimées. Il convient aussi à celles qui ressentent des tensions dans la partie supérieure du dos ou dans la nuque.

1 Asseyez-vous, genoux fléchis, et posez vos pieds bien à plat sur le sol. Placez vos mains derrière vous, doigts tendus en direction de votre dos.

é t i r e r

2 Inspirez profondément et, en expirant, décollez les hanches et le bas du dos du sol. Soulevez-les aussi haut que possible de façon à sentir votre tronc et vos avant-bras s'étirer. **Gardez la position durant 3 à 5 cycles respiratoires.**

FLEXION avant avec écart

Cet étirement efficace agit sur les ischio-jambiers, muscles postérieurs des cuisses, et prépare les muscles fléchisseurs des hanches à d'autres assouplissements.

CONSEIL

Lorsque vous êtes penchée, fléchissez puis tendez les jambes pendant l'inspiration afin de dissiper les tensions derrière les genoux.

étirer

étirer

1 Debout, les pieds aussi écartés que possible, posez les mains sur vos hanches. Inspirez en soulevant votre cage thoracique et en pressant sur vos hanches afin de bien gonfler la poitrine.

2 Inspirez et, en expirant, penchez-vous vers l'avant. Descendez lentement vers le sol en relâchant bien votre colonne vertébrale. **Gardez la position durant 5 à 8 cycles respiratoires.**

FLEXION de la JAMBE

Ce mouvement étire et renforce la bande ilio-tibiale, sur le côté de la cuisse. De plus, il accroît la température corporelle, ce qui permet aux muscles de se détendre davantage.

CONSEIL
Votre pied gauche doit être bien ancré au sol pour garder l'équilibre.

étirer

1 Posez vos mains sur vos hanches ou prenez appui contre un mur. Placez-vous en équilibre sur votre jambe gauche et posez votre cheville droite sur votre cuisse gauche. Inspirez profondément, puis, en expirant, rentrez le ventre afin de conserver une bonne posture.

2 Inspirez et, en expirant, fléchissez doucement la jambe gauche. Sentez vos genoux. Amenez votre buste légèrement en avant pour intensifier l'étirement. **Gardez la position durant 1 à 3 cycles respiratoires.** Inspirez et remettez-vous debout. **Faites l'exercice 3 fois de chaque côté.**

VARIANTE

S'il vous est difficile de garder l'équilibre dans cette position, vous pouvez pratiquer cet étirement assis, avec une jambe pliée. Le pied de l'autre jambe repose sur votre cuisse. Penchez alors le buste vers l'avant.

ÉTIREMENT des quadriceps

L'exercice consiste à étirer les quadriceps, muscles situés sur le devant des cuisses. Il soulage les tensions présentes dans les genoux et améliore le maintien en agissant sur les muscles reliés aux hanches.

1 Tenez-vous debout, pieds écartés, alignés sur la largeur des hanches. Fléchissez légèrement le genou gauche et amenez votre pied droit contre votre fesse droite. Placez votre main gauche sur votre hanche gauche afin de conserver votre équilibre. Expirez et basculez le bassin vers l'avant pour intensifier l'étirement. **Gardez la position durant 5 à 8 cycles respiratoires,** puis répétez le mouvement de l'autre côté.

ÉTIREMENT des tendons

Cet étirement peut être réalisé plusieurs fois par jour. Il peut être effectué n'importe où, car aucun échauffement n'est nécessaire. Il détend les tendons du genou, et les soulage en cas de station assise prolongée. Il apaise également les tensions du bas du dos.

1 Tenez-vous debout face à une chaise et posez vos mains sur les hanches. Fléchissez légèrement le genou gauche et posez votre pied droit sur la chaise, en relevant les orteils.

2 Inspirez. En gardant le dos bien droit, et en laissant vos mains sur les hanches, tendez bien votre jambe droite. Penchez votre buste en avant pour intensifier l'étirement des muscles postérieurs de la jambe. **Gardez la position durant 5 à 8 cycles respiratoires,** puis changez de côté.

FENTE du COUREUR

Bien connu des coureurs et autres sportifs, cet étirement assouplit les muscles des jambes et les articulations des hanches. De plus, il permet de ne pas se refroidir et facilite ainsi l'élongation des muscles.

1 Avec la jambe droite, faites un grand pas en avant. La jambe doit former un angle de 90 °, et le talon gauche être décollé du sol. Inspirez, puis en expirant, étirez la jambe gauche. En inspirant, puis en expirant à nouveau, descendez plus bas sur vos jambes.

étirer

CONSEIL

Le pied posé à plat sur le sol ne doit pas osciller d'un côté et de l'autre ; il doit rester bien ancré. Vous parviendrez ainsi à conserver une position stable durant l'étirement.

2 Inspirez profondément ; tendez le bras gauche devant vous et le bras droit derrière vous. Effectuez une rotation du tronc vers la droite. **Restez ainsi 5 cycles respiratoires,** puis changez de côté.

é t i r e r

é t i r e r

é t i r e r

FLEXION latérale à genoux

Cet étirement agit sur les muscles des hanches et assouplit ceux qui soutiennent les vertèbres lombaires. Il a un effet sur les muscles latéraux du tronc et dissipe les tensions de la taille.

1 Agenouillez-vous en écartant légèrement les genoux. Restez bien droite. Expirez en rentrant le ventre.

2 Inspirez et tendez votre jambe droite sur le côté droit. Votre pied droit doit rester bien ancré au sol. Expirez et contractez les abdominaux pour garder une position stable.

étirer

3 Inspirez et levez le bras gauche. En expirant, laissez glisser votre main droite le long de la jambe droite. Tendez le bras gauche au-dessus de votre tête, pour étirer les muscles latéraux du tronc. **Gardez la position durant 5 cycles respiratoires,** puis répétez l'exercice de l'autre côté.

FLEXION avant au SOL

Ce mouvement constitue un étirement efficace des tendons du genou et permet de soulager les tensions du bas du dos. Il chasse la fatigue matinale.

CONSEIL

Si vous sentez vos épaules se contracter durant ce mouvement, relâchez les bras et ne posez pas les mains sur vos jambes.

1 Asseyez-vous par terre en allongeant les jambes. Relevez les orteils. Vos chevilles, vos genoux et vos cuisses doivent se toucher et vos mains reposer sur le sol à côté des hanches. Contractez les muscles des cuisses. Inspirez et rentrez le ventre.

2 Expirez en rapprochant votre buste de vos jambes, sans courber la tête ou la poitrine. Posez vos mains sur vos mollets ou vos pieds, mais ne tirez pas sur vos bras. **Tenez la position durant 1 à 2 cycles respiratoires, puis relâchez-la doucement.**

étirer

étirer

ÉTIREMENT des ISCHIOS

Cet étirement assouplit les ischio-jambiers et agit, par conséquent, sur la mobilité de la colonne vertébrale. Il a donc un effet sur les raideurs et les douleurs du bas du dos.

1 Asseyez-vous par terre, le dos bien droit. Amenez le pied gauche contre la fesse droite, puis placez le pied droit aussi près du tibia gauche que possible. Le pied droit doit reposer à plat sur le sol.

2 Avec vos deux mains, entourez votre pied droit et inspirez en étirant votre colonne vertébrale. En expirant, levez votre jambe droite de façon à ce qu'elle forme un angle droit sans basculer vers l'arrière.

3 Inspirez. En expirant, essayez de tendre la jambe droite sans arrondir la colonne vertébrale. **Restez ainsi 1 à 2 minutes,** puis changez de côté.

ÉTIREMENT des adducteurs

Cette variante de l'étirement précédent requiert une plus grande souplesse et un bon équilibre. Il agit sur l'intérieur des cuisses, les adducteurs et les muscles reliés au bas de la colonne vertébrale.

1 Asseyez-vous par terre, jambes tendues. Amenez votre pied gauche contre votre fesse droite, puis placez le pied droit près de votre tibia gauche. Posez votre main gauche sur le pied droit et gardez le dos droit.

2 Inspirez. En expirant, levez et étendez votre jambe droite et poussez-la vers la gauche, au-delà de la ligne médiane de votre corps.

3 Inspirez et tendez le bras droit derrière vous, dos bien droit. Expirez et contractez les abdominaux pour étirer les adducteurs. **Restez ainsi 1 à 2 minutes,** puis changez de côté.

ÉTIREMENT des abducteurs

Cette variante de l'étirement des ischio-jambiers agit sur la bande ilio-tibiale, située sur le côté extérieur de la cuisse.

1 Asseyez-vous par terre. Amenez le pied droit contre la fesse gauche, puis placez le pied gauche près du tibia droit. Posez la main gauche sur la face interne de votre pied gauche et gardez le dos droit.

2 Inspirez. En expirant, levez et étendez votre jambe gauche, puis poussez-la vers la gauche, au-delà de la ligne médiane de votre corps.

3 Inspirez et tendez votre bras droit du côté droit en gardant le dos bien droit. Regardez dans la même direction que votre épaule droite. **Gardez la position durant 1 à 2 minutes,** puis changez de côté.

ÉTIREMENTS DE LA COLONNE VERTÉBRALE

La colonne vertébrale est l'élément le plus important du corps du point de vue moteur. Elle en forme l'axe central et constitue le cœur du système nerveux. Par conséquent, les tensions qui l'affectent vous empêchent de réaliser tout votre potentiel.

Une station assise trop fréquente ou une activité répétitive associées à une sangle abdominale trop faiblement musclée provoquent une déformation de la colonne vertébrale. Certains mouvements deviennent alors plus difficiles et des sensations de douleur ou d'inconfort apparaissent.

Les étirements de la colonne vertébrale préviennent l'apparition de douleurs et en conservent la souplesse. Certains mouvements doivent cependant être effectués avec précaution. En vous précipitant ou en procédant par à-coups, vous risquez de vous blesser. Adoptez les postures progressivement et quittez-les en douceur. Vous pouvez consacrer un peu plus de temps à ce chapitre et il est conseillé d'en pratiquer les étirements un jour sur deux.

CE CHAPITRE COMPREND 9 ÉTIREMENTS DE LA COLONNE VERTÉBRALE :

BASCULE au SOL

Cet étirement assouplit et détend la colonne vertébrale et
la nuque. De plus, il renforce les muscles du bas du dos et
les muscles abdominaux, ce qui tonifie la paroi abdominale.

1 Allongez-vous,
genoux fléchis et
pieds reposant bien à
plat. Placez vos bras
le long du corps, paumes
tournées vers le sol.

2 Inspirez
profondément et,
en expirant, basculez
vers l'arrière de façon
à décoller le dos du sol,
en amenant les genoux
sur votre front et en
les posant dessus.
**Gardez la position
durant 1 à 3 minutes.**

CONSEIL

Vos épaules doivent rester bien détendues. Utilisez vos muscles abdominaux sans bloquer votre respiration pour revenir en position allongée.

3 Inspirez et, en expirant, déroulez lentement votre colonne vertébrale pour reposer les pieds au sol. En contrôlant vos muscles abdominaux, vous éviterez de basculer trop vite vers le sol. **Répétez l'étirement 5 fois.**

FLEXION de la CUISSE

Cette technique étire en douceur la colonne vertébrale et assouplit les articulations des hanches.

1 Allongez-vous sur le dos, jambes tendues. Inspirez et amenez votre genou gauche contre votre poitrine. Placez vos deux mains autour du genou. Expirez et contractez les abdominaux de façon à conserver une bonne position de la colonne vertébrale, qui ne doit pas s'arrondir. **Gardez la position durant 3 cycles respiratoires.** Inspirez profondément et, en expirant, étendez à nouveau la jambe. **Répétez le mouvement 5 fois de chaque côté en alternant les jambes.**

VARIANTE

Pour intensifier l'étirement, inspirez et levez la tête en direction du genou. Décollez légèrement la jambe tendue du sol. Expirez et rallongez-vous.

BASCULEMENT latéral

Ce mouvement permet de soulager les tensions des muscles du bas du dos, de la région abdominale et des hanches, entre autres. Il favorise une bonne circulation de l'énergie et a donc des effets bénéfiques sur les systèmes immunitaire, glandulaire et thyroïdien.

1 Allongez-vous sur le dos, jambes tendues, en écartant les bras dans le prolongement des épaules. Inspirez et, en expirant, rapprochez la jambe droite puis la jambe gauche de votre poitrine. Inspirez et croisez la jambe gauche sur la jambe droite. Bloquez le pied gauche contre la cheville droite. Expirez et contractez les abdominaux tout en relâchant les épaules.

2 Inspirez. En expirant, basculez le buste et les jambes vers la droite. Tournez votre tête vers la gauche. **Restez ainsi 1 minute en respirant profondément,** puis répétez de l'autre côté.

VARIANTE

Intensifiez l'étirement en posant une main sur le genou pour amener les jambes plus près du sol. On peut aussi rapprocher davantage les genoux des épaules.

ÉTIREMENT de l'escargot

Cet étirement agit sur l'ensemble de la colonne vertébrale. Exécuté lentement, il est très agréable. Chacune des étapes correspond à une difficulté et à une intensité accrues. Il faut donc progresser à votre rythme.

PRÉCAUTION

Si vous avez des problèmes de dos, procédez en douceur.

1 Allongez-vous sur le dos, genoux pliés et pieds bien à plat. Vos bras reposent par terre, paumes tournées vers le sol. Inspirez et soulevez les jambes en amenant les genoux vers votre front. Expirez, puis contractez les abdominaux. Soutenez le bas de votre dos avec vos mains. **Conservez la position durant 1 à 3 minutes.**

2 Inspirez et allongez les jambes par-dessus votre tête, en faisant reposer vos orteils sur le sol. Expirez et laissez vos genoux descendre vers les oreilles. Gardez le dos appuyé contre vos mains. **Conservez la position durant 1 à 3 minutes en respirant constamment.**

3 Inspirez et, en expirant, attrapez votre pied droit avec la main droite. Inspirez et expirez à nouveau, puis attrapez votre pied gauche avec la main gauche. Décontractez vos épaules. Vos hanches doivent s'étirer. Gardez les jambes pliées. **Conservez la position durant 1 minute.**

4 Inspirez et, en expirant, posez vos genoux sur le sol. Inspirez et expirez à nouveau, puis étendez vos pieds de façon à étirer les chevilles. Vos épaules doivent toujours reposer sur le sol. **Restez ainsi 1 minute,** puis reprenez la position initiale.

VARIANTE

Si vos pieds ne peuvent atteindre le sol, appuyez-les sur un coussin ou le bord d'un canapé.

le PHOQUE

Idéalement pratiqué après l'étirement de l'escargot, ce redressement arrière soulage les tensions au bas de la colonne vertébrale. Il permet également de rétablir la courbure naturelle des lombaires, une zone fragilisée en cas de station assise prolongée.

CONSEIL

Soulevez la cage thoracique du sol en poussant bien sur les bras. Durant tout l'étirement, le dos doit rester souple.

1 Allongez-vous sur le ventre, les pieds écartés d'environ 1,5 fois la largeur des épaules. Posez vos mains au-dessus de la tête, les coudes vers l'extérieur. Inspirez profondément et décollez légèrement votre cage thoracique du sol. Expirez et **restez ainsi 30 secondes en respirant calmement.**

2 Rapprochez les coudes du buste. Inspirez
profondément, puis, en expirant, relevez le haut
de la cage thoracique en vous appuyant légèrement
sur vos coudes. Inspirez, puis, pendant l'expiration,
sentez les muscles de votre abdomen reliés à la
colonne vertébrale. **Restez ainsi 1 minute.**

étirer

3 Allongez-vous à nouveau, les bras tendus dans
le prolongement des épaules, qui doivent rester
décollées. Inspirez profondément et, en expirant,
décollez le buste du sol en poussant sur vos mains.
Vos hanches doivent rester en contact avec le sol.

FLEXION arrière au SOL

Cet étirement a un effet sur les vertèbres lombaires et sacrées, qui peuvent être tendues en cas de station assise ou d'inactivité prolongées. Il agit sur les pieds, les genoux et les cuisses, et s'intensifie à chaque étape.

CONSEIL

Il peut être difficile de se redresser. Roulez ou penchez-vous sur le côté, et dépliez vos jambes l'une après l'autre.

1 Asseyez-vous sur les talons alignés sur les hanches. Posez les mains sur les cuisses, paumes vers le haut.

2 Inspirez. En expirant, penchez-vous vers l'arrière en vous appuyant sur les mains. **Gardez la position durant 1 à 3 minutes.**

3 Si cela vous semble facile, tenez-vous sur les coudes. **Restez ainsi 1 à 3 minutes.**

VARIANTE

Pour renforcer l'étirement, arquez le dos et inspirez. En expirant, allongez-vous et placez vos bras le long du corps. **Gardez la position durant 1 à 3 minutes.**

le TRÉPIED

Cette posture renforce et fait travailler tous les muscles du torse. Elle est idéalement pratiquée après une flexion vers l'avant et prépare le corps à exécuter d'autres flexions arrière.

1 Asseyez-vous en gardant le dos bien droit et les jambes tendues. Posez votre main droite sur votre genou droit et placez votre main gauche derrière vous sur le sol. Pliez le genou droit et placez votre pied droit à côté de votre genou gauche.

2 Soulevez le bassin dans le prolongement du dos, en poussant sur votre bras gauche. Faites des cercles avec le bras droit et tendez-le vers la droite. Tournez la tête vers la gauche pour regarder le sol au moment où vous étirez le bras au-dessus de votre tête, puis regardez votre main droite. **Répétez sur 3 à 5 cycles respiratoires**, puis changez de côté. **Recommencez 2 à 3 fois.**

étirer

étirer

la MARCHE de l'escargot

Cet étirement détend les muscles de la colonne vertébrale, tout en les faisant travailler dans leur intégralité, du sommet du crâne jusqu'au coccyx.

CONSEIL

Vous vous détendrez en sentant votre colonne s'étirer progressivement davantage. Conservez la position durant plusieurs cycles respiratoires avant de changer de côté.

1 Allongez-vous sur le dos, et pliez les genoux sur votre poitrine. Inspirez, puis, en expirant, amenez les genoux sur le front. Soutenez le bas de votre dos avec vos mains.

2 Inspirez, puis, en expirant, faites passer vos jambes par-dessus la tête en appuyant vos orteils sur le sol. Vos pieds sont légèrement écartés. Soutenez le bas du dos avec les mains, doigts tendus vers le plafond.

3 Inspirez, puis, en expirant, fléchissez la jambe gauche tout en tendant la jambe droite. Le bassin s'incline vers la gauche. **Restez ainsi durant 3 cycles respiratoires.** Inspirez et expirez en tendant à nouveau les deux jambes, puis changez de côté. **Répétez 15 fois.**

le COBRA

Ce mouvement est bénéfique pour les intestins et facilite la digestion. Il rétablit la courbure naturelle des vertèbres lombaires, parfois modifiée par un mouvement de flexion avant ou en cas de station assise prolongée.

1 Allongez-vous sur le ventre et appuyez-vous sur vos coudes. Inspirez, puis, en expirant, soulevez en douceur le haut du buste.

2 Inspirez, puis, en expirant, poussez sur vos bras. Gardez les épaules décontractées. **Restez ainsi 1 à 2 minutes en respirant naturellement.**

le CYGNE couché

Cet étirement assouplit les muscles et les tissus conjonctifs situés sur le côté des hanches et des cuisses. Il fait aussi travailler les muscles fléchisseurs des hanches.

1 Agenouillez-vous en gardant le dos droit et en prenant appui sur vos bras. Les hanches doivent être dans l'alignement des genoux. Placez le genou droit entre vos mains. Tendez la jambe gauche vers l'arrière de façon à ce que votre bassin se rapproche du sol.

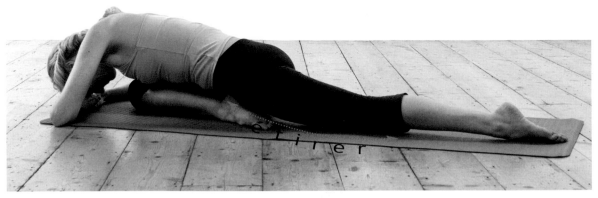

2 Penchez-vous vers l'avant et appuyez-vous légèrement sur les coudes. Le pied droit doit être replié contre l'aine, le bassin légèrement décollé du sol, et la hanche et la cuisse tendues. **Restez ainsi 1 à 3 minutes**, puis changez de jambe.

VARIANTE

Lorsque vous serez devenue plus souple, compliquez légèrement l'exercice. Avancez un peu plus le pied droit et appuyez votre poitrine contre votre jambe.

le CYGNE dressé

Cet étirement inclut une flexion du dos vers l'arrière, qui
permet de bien étirer les muscles fléchisseurs de la hanche.

CONSEIL

Lorsque vous pliez
la jambe tendue vers
l'arrière, ne soulevez pas
le bassin et veillez à ce
qu'il ne pivote pas.

1 Agenouillez-vous en vous
appuyant sur les mains,
le dos droit et les hanches
dans l'alignement des
genoux. Placez le genou
droit entre vos mains.
Tendez la jambe gauche le
plus possible vers l'arrière
de façon à ce que votre
bassin se rapproche du sol.

2 Expirez et levez la tête.
Regardez devant vous,
puis vers le bas, afin d'étirer
l'arrière de la nuque. Relevez
à nouveau la tête, puis pliez
la jambe gauche en la tirant
vers votre dos. **Gardez la
position durant 3 à 5 cycles
respiratoires,** puis changez
de jambe.

la GRENOUILLE

Cet étirement agit sur les articulations des hanches
et les adducteurs. Il soulage des muscles très sollicités,
qui deviennent raides avec le temps. Détendez-vous
en laissant agir la gravité.

1 Agenouillez-vous en posant les mains à plat
sur le sol. Écartez les genoux autant que
possible. Vos orteils doivent se toucher. Inspirez
profondément et, en expirant, asseyez-vous sur
vos talons. Posez les mains devant vous et penchez-
vous en avant jusqu'à ressentir une tension.
Gardez la position durant 1 à 3 minutes.

VARIANTE

Une version plus simple de cet étirement consiste
à vous asseoir en gardant le dos droit et en plaçant
vos plantes de pied l'une contre l'autre. Inspirez et
posez vos mains sur la face interne de vos mollets.
En expirant, laissez vos genoux descendre vers
le sol pour accroître l'étirement.

FLEXION jambe PLIÉE

Cet étirement est une variante de la flexion arrière au sol (voir page 64). Seule l'une des jambes est pliée. La posture favorise un bon positionnement des vertèbres lombaires. De plus, elle étire le devant des cuisses.

1 En position assise, repliez votre jambe gauche le long de votre cuisse. Posez vos mains sur le sol. Inspirez profondément et, en expirant, sentez les muscles antérieurs de la hanche gauche s'étirer.

2 Inspirez, et, en expirant, penchez-vous vers l'arrière et appuyez-vous sur les coudes. Puis, allongez-vous, relaxez-vous et respirez en **gardant la position durant 1 à 3 minutes**. Changez de côté.

VARIANTES

Si votre genou gauche ne reste pas au sol, assouplissez les muscles de la cuisse avec la première étape. Si l'étirement est trop intense, fléchissez la jambe droite de façon à ce que votre pied droit repose à plat.

le PASSEUR de HAIES

Cet étirement est l'inverse du papillon. Il modifie l'angle de travail de la hanche et étire ainsi les lombaires et les adducteurs.

CONSEIL
La colonne vertébrale doit être étirée, et les épaules en arrière. Une position voûtée entrave la respiration et déséquilibre le rachis.

1 Asseyez-vous jambes tendues devant vous, le dos bien droit. Amenez votre jambe gauche derrière vous, de façon à ce que votre genou se trouve dans le prolongement de votre hanche.

étirer

2 Inspirez et étirez la colonne vertébrale. En expirant, abaissez le buste en direction de votre jambe droite. Inspirez profondément, puis expirez en rentrant le ventre. **Gardez la position durant 2 à 3 minutes, en respirant bien pour faciliter l'étirement.** Changez ensuite de côté.

VARIANTE

Si vous avez des problèmes de genou, ne le pliez pas. Tendez la jambe gauche sur le côté.

grand ÉCART latéral

Cet exercice étire les adducteurs, les chevilles et les fléchisseurs des hanches. Ainsi, votre bassin sera moins raide, votre dos plus mobile et vos muscles abdominaux plus développés. Cet étirement comporte trois étapes.

1 Agenouillez-vous. Avancez le pied gauche et tendez la jambe droite derrière vous. Posez les deux mains sur le sol ou sur le genou gauche pour vous stabiliser. Inspirez profondément. En expirant, faites basculer vos hanches vers l'avant. **Restez ainsi 1 à 2 minutes.**

2 Inspirez, puis, en expirant, étirez légèrement votre poitrine au-dessus de votre genou gauche en tendant la jambe. Gardez le dos droit. **Conservez la position durant 1 à 3 minutes.**

3 Inspirez. En expirant, faites glisser la jambe droite vers l'arrière le plus loin possible, de façon à rapprocher l'aine du sol. **Respirez normalement et gardez la position durant 1 à 3 minutes.**

OUVERTURE des hanches

Cet exercice assouplit les articulations des genoux, des hanches et des chevilles, ainsi que les muscles internes des hanches.

CONSEIL

Veillez à ce que votre bassin touche le sol en permanence. Si vous sentez qu'il se soulève, expirez et essayez de l'abaisser.

1 Allongez-vous. Écartez les jambes et pliez la jambe droite, en plaçant le pied contre l'aine. Inspirez, puis placez le pied gauche sur votre cuisse droite.

2 Inspirez profondément. En expirant, laissez retomber votre jambe gauche de façon à ce qu'elle tire sur votre hanche gauche. Expirez et décontractez-vous, en plaçant les mains le long du corps. **Restez ainsi durant 1 à 3 minutes.**

VARIANTE

Pour intensifier cet étirement, au fur et à mesure que votre souplesse augmente, placez le pied gauche de plus en plus haut sur la cuisse droite, de façon à bien ouvrir les hanches.

ÉTIREMENT des hanches

Cet étirement est l'inverse de ceux effectués auparavant, puisqu'il agit sur les fléchisseurs externes des hanches. Ces muscles ont tendance à se raidir, entraînant des douleurs musculaires dans le bas du dos.

1 Allongez-vous sur le dos. Repliez votre jambe gauche en la plaçant la plus près possible de votre cuisse. Placez le pied droit sur la cuisse gauche comme indiqué.

2 Inspirez. En expirant, laissez retomber la jambe droite, qui, sous l'effet de la pesanteur, doit tirer sur l'articulation de la hanche droite. **Restez ainsi 1 à 3 minutes**. Répétez l'exercice de l'autre côté.

ÉTIREMENTS DES HANCHES, DES JAMBES ET DU DOS

Ce chapitre s'inscrit dans le prolongement du précédent, en proposant des mouvements plus difficiles, qui font intervenir en outre la colonne vertébrale. Les hanches, les jambes et le dos jouent un rôle clé dans la mobilité du corps. Il est donc essentiel de les étirer régulièrement pour atténuer la présence de tensions éventuelles.

Si vous n'avez effectué qu'une ou deux fois les étirements des hanches et des jambes, vous risquez de trouver ces exercices difficiles. Mieux vaut dans ce cas passer aux suivants. Si, en revanche, vous réalisez sans problème les étirements du chapitre précédent, essayez de faire ceux-ci ou alternez les exercices des deux chapitres comme bon vous semble.

En progressant, vous arriverez à rester plus longtemps dans les postures indiquées. Continuez, et vous vous sentirez de mieux en mieux.

CE CHAPITRE COMPTE 11 ÉTIREMENTS POUR HANCHES, JAMBES ET DOS :

l'ÉQUERRE

Cet exercice assouplit le bas de la colonne vertébrale,
ainsi que les articulations des hanches et des jambes
au niveau du bassin, en accroissant leur mobilité.

1 Asseyez-vous en tailleur, en
plaçant la jambe gauche
sur la droite. Soulevez-la en la
gardant pliée comme indiqué.
Faites-la bouger doucement d'un
côté puis de l'autre, en veillant
à faire travailler l'articulation
de la hanche. Ne bougez pas
l'articulation du genou ni celle
de la cheville.

2 Placez le pied
gauche sur la
cuisse droite, plante
du pied tournée vers
vous. Selon votre
souplesse, votre genou
gauche sera plus ou
moins dressé. Inspirez
profondément, puis
expirez en étirant le dos.

3 Inspirez. En expirant, tendez les bras devant
vous, en inclinant le buste vers l'avant. **Gardez
la position durant 1 à 3 minute**s. Répétez le
mouvement en commençant par l'autre jambe.

STIMULATION de la colonne

Cet étirement stimule tous les muscles de la colonne vertébrale et améliore la mobilité des hanches et des jambes. Il favorise aussi la circulation du sang dans la région abdominale, dans l'estomac, le foie et les reins. Pour que cet exercice soit vraiment bénéfique, gardez le cou tendu.

1 Allongez-vous sur le ventre, les bras le long du corps. Inspirez et soulevez la tête, le haut du corps et les bras aussi haut que possible. Expirez en rentrant le ventre afin de ne pas solliciter les muscles du dos.

2 Inspirez, puis en expirant, levez les jambes. Veillez à ce que le bas du dos ne soit pas contracté et que vos épaules soient redressées. **Gardez la position durant 5 cycles respiratoires**, puis expirez en abaissant les jambes et le haut du corps.

REDRESSEMENT du dos

Cette position est excellente pour retrouver la courbure naturelle de votre colonne vertébrale, après de longues heures en position assise. Il s'agit d'un étirement efficace qui détend une zone du corps souvent contractée. Si vous avez le dos cambré, évitez de faire cet exercice.

1 Allongez-vous sur le ventre, les mains posées à plat sur le sol à la hauteur des épaules. Placez vos doigts légèrement vers l'extérieur. Relâchez le plancher pelvien. Inspirez en soulevant le haut du corps, sans raidir vos coudes. Votre ventre et votre bassin ne doivent pas toucher le sol.

2 Expirez et détendez-vous. Inspirez profondément, puis, en expirant, rentrez le ventre et soulevez les pieds. **Conservez la position durant 10 à 15 cycles respiratoires.**

ÉTIREMENTS DES HANCHES, DES JAMBES ET DU DOS **89**

ÉTIREMENT dorsal simple

Appelé aussi « pose de l'enfant », cet étirement détend la colonne vertébrale, surtout après avoir effectué des flexions dorsales. Votre tête est penchée pendant le mouvement, ce qui a un effet apaisant sur le cœur.

1 Mettez-vous à quatre pattes en vous appuyant sur les bras.

étirer

2 Inspirez, puis, en expirant, asseyez-vous sur les talons. Posez la tête par terre, et placez vos bras, l'un après l'autre, le long des jambes. Détendez-vous. Fermez les yeux et faites le vide. **Restez dans cette position durant 1 à 2 minutes.**

TORSION dorsale

Cet étirement supprime les tensions dans la région du sacrum, des hanches et du bassin. Il aura un effet bénéfique sur votre dos, si vous l'exécutez chaque jour.

1 Allongez-vous sur le dos, jambes tendues et bras le long du corps. Inspirez et repliez la jambe gauche en direction de votre épaule. Expirez en rentrant le ventre.

2 Placez la main droite sur l'extérieur de votre genou gauche. Étirez le bras gauche, au niveau des épaules. Inspirez. En expirant, basculez votre genou gauche vers la droite. Gardez les épaules au sol. **Restez ainsi 10 cycles respiratoires**. Recommencez de l'autre côté.

ÉTIREMENT du bas du dos

Cet étirement masse le tissu conjonctif qui relie le bas de votre colonne vertébrale à la région de l'aine. Il favorise la circulation des fluides qui irriguent les articulations et les muscles ankylosés.

étirer

1 Asseyez-vous, en gardant le dos droit, et joignez les pieds, plante contre plante. Tenez-les comme indiqué, en croisant les pouces au-dessus des gros orteils. Faites doucement basculer vos pieds joints d'un côté puis de l'autre.

2 Inspirez, puis, en expirant, faites pivoter vos pieds **5 fois** de chaque côté. Revenez en position assise, puis inclinez doucement le buste vers l'avant en gardant le dos droit. Redressez-vous. **Recommencez 5 fois. Répétez cet exercice durant 1 à 2 minutes.**

BASCULEMENT en arrière

Ce mouvement assouplit les adducteurs et agit aussi sur le cou,
tout en étirant la colonne vertébrale.

1 Allongez vous sur le dos, genoux repliés contre la poitrine. Soutenez le bas de votre dos avec les mains. Inspirez. En expirant, renversez-vous en arrière, de façon à ce que vos genoux se retrouvent contre votre front. **Gardez la position durant 1 à 3 cycles respiratoires.**

2 Inspirez, puis, en expirant, descendez les jambes derrière la tête et posez les pointes des pieds sur le sol. Écartez les jambes. Ne décollez pas les épaules du sol. **Gardez la position durant 1 à 4 minutes.**

ÉTIREMENTS DU HAUT DU CORPS

Ces étirements atténuent les tensions qui tendent à s'accumuler dans cette partie du corps. Tous ceux qui tapent souvent sur le clavier d'un ordinateur ou qui portent des enfants éprouvent une sensation de raideur dans le cou et les épaules. Celle-ci génère souvent des maux de tête et des douleurs très gênantes.

Dissiper ces tensions vous permettra de vous sentir bien. Les étirements proposés dans ce chapitre empêchent le tassement des vertèbres cervicales. Vous vous tiendrez mieux et votre silhouette en sera métamorphosée.

Effectuez lentement les exercices proposés. Évitez les mouvements brusques en bougeant le cou.

CE CHAPITRE COMPREND 10 ÉTIREMENTS DU HAUT DU CORPS:

INCLINAISON de la tête

Il faut bouger et étirer le cou pour l'allonger. Cet exercice prévient et atténue les maux de tête, ainsi que les sensations de raideur dans les épaules.

1 Asseyez-vous, jambes croisées, les bras de chaque côté du corps. Inspirez, en étirant la colonne vertébrale.

2 Placez la main gauche sur la tempe droite. Expirez et penchez la tête vers l'épaule gauche, sans bouger les épaules. Ramenez la tête en position initiale et recommencez le mouvement de l'autre côté. **Répétez 10 fois l'exercice, lentement, au rythme de votre respiration.** Chaque fois, essayez d'augmenter l'amplitude du mouvement.

VARIANTE

Si la position en tailleur ne vous convient pas, asseyez-vous sur une chaise droite.

PRÉCAUTION

Inclinez le cou lentement et doucement, sans faire de mouvement brusque et sans forcer.

FLEXION du COU

Cet étirement agit sur les muscles situés au milieu du cou.
Il améliore votre maintien et votre port de tête. À condition
de le faire régulièrement.

étirer

1 Asseyez-vous en tailleur ou dans une
position confortable. Inspirez et levez les
bras de façon à pouvoir croiser les mains derrière
la tête. Veillez à ce qu'elles ne pèsent pas
sur celle-ci.

2 Expirez et abaissez doucement le menton vers
la poitrine. **Gardez la position durant 5 cycles
respiratoires.** Desserrez lentement les doigts et
retirez vos mains. Baissez doucement la tête.
Répétez 5 fois le mouvement.

ÉTIREMENT de l'épaule

Excellent pour dissiper toute tension dans les articulations des épaules, cet étirement accroît leur mobilité et atténue les douleurs dues à la pratique d'un sport ou à un travail en position assise derrière un bureau.

1 Asseyez-vous en tailleur ou dans une position confortable.

2 Inspirez et passez le bras droit devant votre poitrine ; orientez-le vers la gauche. Expirez, puis posez la main gauche sur le haut du bras droit. Appuyez légèrement afin d'assouplir l'articulation de votre épaule. **Gardez la position durant 5 cycles respiratoires. Répétez 3 fois de chaque côté.**

ÉTIREMENT du haut du bras

Ce mouvement a pour effet d'étirer les triceps situés sur la face postérieure des bras. Il est très utile pour supprimer la sensation de fatigue que l'on éprouve parfois, lorsqu'on a porté un enfant par exemple.

1 Tenez-vous debout, pieds écartés, alignés sur la largeur des hanches. Inspirez profondément et levez le bras droit à la verticale.

2 Expirez et faites glisser la main droite entre les omoplates. Inspirez et placez la main gauche sur le coude droit. Expirez, en poussant sur le coude afin d'allonger le triceps. **Gardez la position durant 5 cycles respiratoires. Répétez 3 fois de chaque côté.**

ÉTIREMENT de la poitrine

Cet étirement facilite la respiration. Il redressera vos épaules et développera les muscles du haut du corps.

1 Asseyez-vous en tailleur, en veillant à garder le dos droit. Inspirez et posez les mains derrière vous aussi loin que possible. Expirez et tournez les paumes des mains comme indiqué.

2 Inspirez profondément. En expirant, soulevez le haut du corps et penchez-vous en arrière. Veillez à bien allonger le buste. **Gardez la position durant 5 cycles respiratoires, puis relâchez. Répétez 5 fois l'exercice,** en essayant d'augmenter chaque fois l'amplitude du mouvement.

ÉTIREMENT du poignet

Si vous faites beaucoup travailler vos mains, cet exercice contribuera à compenser les effets dus aux efforts répétés, souvent à l'origine de blessures. N'oubliez pas de le faire tout au long de la journée, surtout après de longues périodes de travail.

1 Asseyez-vous par terre, en écartant les jambes. Inspirez en redressant le dos, sans décoller vos fesses du sol. Expirez en contractant les muscles abdominaux.

2 Posez les mains à l'envers devant vous, paumes vers le haut, écartées de la largeur des épaules. Inspirez. En expirant, appuyez doucement sur vos mains de façon à étirer les poignets. **Gardez la position durant 5 cycles respiratoires. Répétez 5 fois.**

EXTENSION des épaules

Cet étirement redresse les épaules et supprime les tensions dans le cou et la colonne vertébrale.

étirer

étirer

1 Tenez-vous debout, en écartant les pieds autant que vous le pouvez, les bras le long du corps. Gardez le dos droit et rentrez les fesses. En inspirant, levez les bras sur les côtés à la hauteur des épaules. Expirez sans relâcher le ventre.

2 Inspirez et, en expirant, joignez les mains en les croisant derrière le dos. Inspirez, puis, en expirant, fléchissez légèrement les genoux et penchez-vous en avant, en étirant les bras au-dessus de la tête. **Restez ainsi 5 cycles respiratoires.** Inspirez, puis, en expirant, redressez-vous lentement en rentrant le ventre, afin de garder votre équilibre.

ROTATION de la tête

Ce mouvement doux dissipe les tensions dans la région du crâne. Il prévient les maux de tête. N'hésitez pas à l'exécuter plusieurs fois dans la journée, surtout si vous travaillez.

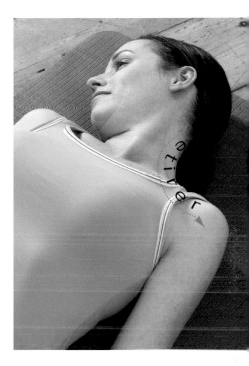

1 Allongez-vous sur le dos, genoux fléchis, bras le long du corps, paumes des mains tournées vers le haut. Veillez à ce que votre colonne vertébrale ne vous fasse pas souffrir.

2 Pressez doucement votre menton contre la poitrine afin d'étirer la nuque. Inspirez. En expirant, appuyez la tête contre le sol, en la faisant tourner de 30° vers la gauche. **Gardez la position durant 1 cycle respiratoire.**

3 Inspirez et ramenez la tête au centre. En expirant, faites le même mouvement en tournant la tête vers la droite. **Gardez la position durant 1 cycle respiratoire. Répétez l'exercice 5 fois de chaque côté** en essayant d'augmenter l'amplitude de rotation de la tête.

FLEXION, jambes écartées

Cet étirement assouplit le tissu conjonctif autour des cavités articulaires internes et externes des hanches. Il agit aussi sur le foie et les reins.

CONSEIL

Soyez à l'écoute de votre corps, et ne prolongez pas cet étirement s'il vous fait mal. En expirant, concentrez-vous sur la zone où la sensation, agréable ou désagréable, est la plus forte, et détendez-vous.

1 Asseyez-vous par terre, en écartant bien les jambes. Gardez le dos droit. Inspirez, puis expirez en inclinant le buste vers l'avant jusqu'à ce que vous sentiez la partie postérieure de vos jambes, vos hanches et votre dos tirer légèrement.

2 Inspirez profondément, puis, en expirant, faites doucement pivoter votre corps vers la droite, en faisant glisser vos mains sur le sol. Prêtez attention aux sensations que vous ressentez. **Restez dans cette posture durant 1 à 3 minutes,** puis répétez le mouvement dans l'autre sens.

VARIANTE

Si vous préférez vous reposer avant d'effectuer l'étirement du côté opposé, allongez-vous lentement sur le dos en pliant vos genoux contre votre poitrine.

ÉTIREMENT latéral du buste

Cette variante de l'étirement précédent agit sur la taille. Elle masse aussi les intestins, les reins et le foie, vous procurant une sensation de bien-être.

1 Asseyez-vous par terre et écartez les jambes. Vos fesses doivent être en contact avec le sol. Inspirez en redressant le dos. Posez la main gauche sur la cuisse gauche, puis tendez le bras droit et posez-le contre votre jambe droite comme indiqué. Expirez.

étirer

2 Inspirez et passez le bras gauche au-dessus de la tête, en formant un arc, pour étirer le buste et le dos. Expirez et détendez-vous. **Restez ainsi 1 à 3 minutes, en respirant normalement.** Répétez de l'autre côté.

étirer

étirer

la POSE de l'enfant

Excellent pour le foie, cet exercice a aussi le mérite d'assouplir le tissu conjonctif autour des cavités articulaires des hanches et d'empêcher le tassement des disques intervertébraux.

1 Mettez-vous à quatre pattes en prenant appui sur les mains et les genoux.

2 Inspirez profondément, puis expirez en vous asseyant sur vos talons. Posez le front sur le sol. Veillez à relâcher les muscles du bassin et du dos. Inspirez, puis expirez en faisant pivoter votre bassin d'un côté, puis de l'autre. **Faites ce mouvement lentement durant 2 à 3 minutes.**

é t i r e r

le PIGEON

Cet étirement accroît la circulation des fluides vitaux et, donc, atténue les douleurs dans les hanches et dans le bassin.

CONSEIL

En expirant, concentrez-vous sur votre corps, là où la sensation, agréable ou désagréable, est la plus forte.

1 Mettez-vous à quatre pattes. Faites glisser le genou gauche entre vos mains et tendez la jambe droite derrière vous. Redressez le dos.

2 Inspirez et asseyez-vous sur la fesse gauche. En expirant, basculez votre corps sur la droite. Déplacez vos mains pour être confortable.

3 Basculez d'un côté, puis de l'autre, en glissant progressivement les mains et en inclinant le buste jusqu'à poser le front sur vos mains. **Effectuez ces rotations durant 1 à 2 minutes.** Recommencez à droite.

MOUVEMENT du bassin

Cet étirement assouplit les articulations des hanches et vous permet d'effectuer plus facilement le grand écart. Vous ne devriez pas ressentir de douleur en l'exécutant. Soyez à l'écoute de votre corps afin d'améliorer ce mouvement progressivement.

1 Agenouillez-vous. Tendez la jambe gauche devant vous et la jambe droite derrière vous. Prenez appui sur vos mains posées à plat sur le sol. Inspirez, puis, en expirant, faites basculer vos hanches vers l'avant de façon à vous retrouver dans la position du grand écart (voir page 80). Tendez le dos et placez vos mains de la façon la plus confortable.

2 Expirez, et faites pivoter votre bassin d'un côté, puis de l'autre, en inclinant le buste et en posant les coudes sur le sol. Faites une pause si vous avez mal. Votre respiration va s'accélérer quand vous étirerez une zone de tension chronique. Respirez et trouvez une posture indolore. **Faites ainsi bouger votre bassin durant 1 à 2 minutes.** Reprenez doucement votre position initiale et changez de côté.

étirer

ROTATION, jambes tendues

Cette variante de la Flexion avant au sol (voir page 50) introduit un mouvement de bascule qui active la circulation dans le bas du dos et les jambes.

1 Asseyez-vous par terre, le dos bien droit, les jambes tendues devant vous. Pressez celles-ci l'une contre l'autre afin que vos chevilles, vos mollets et vos cuisses se touchent. Tournez les tibias et les os des cuisses vers l'intérieur pour ne ressentir aucun blocage dans la région du sacrum.

2 Placez les mains de part et d'autre de vos jambes. Inspirez, puis, en expirant, faites doucement pivoter votre buste d'un côté, puis de l'autre, en vous penchant doucement vers l'avant. Ne décollez pas les fesses du sol. **Continuez à faire ces mouvements durant 1 à 2 minutes**, en veillant à garder le dos droit.

ROTATION, jambes croisées

Cet étirement simple assouplit le tissu conjonctif dans le bas du dos et le bassin. Il améliore le fonctionnement des organes, en massant les reins, le foie et le pancréas, et a une action apaisante sur les glandes surrénales.

1 Asseyez-vous en croisant les jambes. Repliez d'abord la gauche, puis la droite, comme indiqué. Inspirez profondément en redressant le dos. En expirant, penchez le buste en avant et tendez les bras devant vous, de façon à tirer sur votre dos.

2 Inspirez. En expirant, commencez à faire pivoter votre buste vers la droite, en décrivant un mouvement circulaire qui doit étirer vos hanches, votre dos et vos jambes. Trouvez la posture où cette sensation d'étirement est la plus prononcée et **conservez-la durant 1 à 2 minutes.** Répétez le mouvement de l'autre côté.

ROTATION accrue du buste

Une fois que vous parvenez bien à exécuter le mouvement précédent, passez à cet exercice. Il devrait soulager vos reins et avoir un effet apaisant sur vos glandes surrénales.

1 Asseyez-vous les jambes croisées. Saisissez votre jambe gauche. Basculez doucement l'articulation de la hanche, pas celle du genou ni celle de la cheville. Votre cheville droite et votre genou gauche doivent être parallèles.

2 Placez le pied gauche sur le haut de votre mollet droit comme indiqué. Selon votre souplesse, votre genou gauche sera plus ou moins dressé. Inspirez profondément en rentrant le ventre. Expirez en gardant le dos droit.

3 Inspirez, puis, en expirant, faites pivoter vos hanches et votre buste vers le côté droit, et penchez-vous en avant. **Trouvez la position où la sensation d'étirement est la plus forte et gardez-la durant 1 à 3 minutes.** Répétez le mouvement de l'autre côté.

FLEXION avant croisée

Cet étirement est excellent pour le bas du dos. Il masse les glandes surrénales et assouplit le tissu conjonctif reliant vos jambes à votre bassin.

CONSEIL

Cet étirement peut être douloureux, ne forcez pas trop au début. Tentez de garder la posture 30 secondes de plus chaque fois.

1 Mettez-vous à quatre pattes. Croisez les jambes, en plaçant la droite devant la gauche comme indiqué.

VARIANTE

Si vous pouvez vous pencher en avant, posez votre tête sur vos mains jointes, les poings serrés.

étirer

2 Asseyez-vous en écartant légèrement les jambes ; gardez les cuisses croisées. Vos fesses doivent toucher le sol et votre dos être droit. Posez les mains. Inspirez en rentrant le ventre. Expirez, sans relâcher le ventre. **Restez ainsi 1 à 3 minutes.**

3 Inspirez, puis, en expirant, inclinez le buste vers l'agent. Inspirez. En expirant, penchez-vous davantage. Restez ainsi incliné sans que ce soit trop douloureux. Votre buste doit être droit et votre ventre rentré. **Gardez cette posture durant 2 à 4 minutes.**

FLEXION latérale croisée

Ce mouvement est une variante du précédent. Il assouplit le tissu conjonctif de la face postérieure des cuisses et des cavités articulaires des hanches. Il agit aussi sur les intestins, en favorisant la digestion.

1 Mettez-vous à quatre pattes. Croisez les jambes, en plaçant la jambe droite devant la gauche.

2 Asseyez-vous en écartant les jambes, mais en gardant les cuisses croisées. Veillez à ce que vos fesses touchent bien le sol et à ce que votre dos soit droit. Posez les mains sur le sol.

3 Inspirez profondément. Expirez en plaçant vos mains sur le côté droit et en pivotant légèrement le buste. **Gardez cette posture durant 1 à 3 minutes**, puis répétez le mouvement de l'autre côté.

ROTATION, genoux serrés

Ce mouvement est excellent pour le foie, car il contribue à éliminer les toxines du sang. Il agit aussi sur le pancréas, qui régule la glycémie et le taux d'hormones dans le sang.

CONSEIL

Essayez d'effectuer une rotation de plus en plus ample à chaque cycle respiratoire, ce qui sera bénéfique à l'ensemble de votre corps.

1 Allongez-vous sur le dos, les pieds posés à plat sur le sol. Repliez les genoux contre votre poitrine et placez vos mains autour. Inspirez, puis expirez en faisant bouger vos genoux serrés dans le sens des aiguilles d'une montre afin de masser vos vertèbres lombaires. **Répétez 5 fois le mouvement**, puis exécutez-le dans l'autre sens.

ROTATION des jambes

Cet étirement, variante du précédent, constitue un excellent massage de la colonne vertébrale et des hanches. Il renforce la mobilité de ces dernières, à condition de l'effectuer lentement.

1 Allongez-vous sur le dos, en pliant les jambes. Posez les mains sur vos genoux.

2 Inspirez. En expirant, soulevez le genou droit. Laissez vos mains dans la même position. Inspirez, puis, en expirant, décrivez un cercle dans le sens des aiguilles d'une montre avec la jambe droite, en basculant légèrement sur la droite. Ce mouvement agit sur les hanches et les jambes.

3 Inspirez. Puis, en expirant, dessinez un huit avec la jambe droite vers la gauche. **Répétez 15 fois**, puis répétez avec l'autre jambe.

PRÉCAUTIONS

Si vous ressentez une tension dans les hanches, bougez lentement afin de la dissiper. Si vous avez mal, arrêtez de suite et demandez conseil à un kinésithérapeute.

INDEX

REMERCIEMENTS

L'auteur

Jax Lysycia dirige la Dynamic Yoga Teacher Training avec Godfrey Devereux. Dans ce cadre, elle s'occupe de la formation des professeurs de yoga. Elle a lancé avec succès le site Formenterayoga.com spécialisé dans les centres de yoga situés à Ibiza, aux Baléares. Elle a étudié la danse et les mouvements de yoga pendant plus de treize ans, et continue de donner des cours aux professeurs et aux particuliers dans son studio, qui se trouve dans l'Essex, en Grande-Bretagne. Selon un numéro de *Yoga Magazine* paru en novembre 2005, elle est l'un des meilleurs professeurs de yoga et de stretching au monde.

Remerciements de l'éditeur

L'éditeur souhaite remercier USA Pro qui a fourni les vêtements que portent les modèles sur les photographies.

Imprimé et relié en Chine, par Toppan